法布尔昆虫记 绘本

蒂菲粪金龟——家园守望者

齐遇 / 编绘

长江出版社
CHANGJIANG PRESS

序言

我们的世界是如此美好！

昆虫，仿佛我们这个世界的精灵，在树林间，在草丛里，或振翅飞舞，或浅吟低唱……它们的生命大多短暂，但它们的故事却很精彩。

孩子们是多么喜爱昆虫啊！他们追逐着夏夜的萤火虫，跟着可爱的蜻蜓奔跑；他们观察圣甲虫团粪球，倾听蝉的欢唱。

真的要感谢法布尔先生。这位伟大的昆虫学家，用细致入微的观察，用细腻恬淡的文笔，将神秘的昆虫世界呈现在我们面前。他是那么热爱那些小精灵，与其说他是在研究昆虫，倒不如说他倾尽所有的爱，呵护着那些小生命。厚厚一部《昆虫记》是法布尔先生留给我们的最宝贵的遗产，这就是爱——爱生活，爱自然，爱生命。

《昆虫记》是一部百年经典，多少年来深受中国读者喜爱。据了解，目前国内图书市场上各种版本的《昆虫记》不下百种，我们这套注音版《法布尔昆虫记绘本》，从严格意义上来说，是一部昆虫童话。每一个故事，都力求生动有趣；每一幅画面，都力求栩栩如生。

我们在创作这些昆虫童话时，牢牢根植于原版《昆虫记》，将各种昆虫的特点、习性完美地融入故事中，读起来既有趣味，又能在不知不觉中了解很多昆虫知识。因此，这套《法布尔昆虫记绘本》可以说是科普和文学完美结合的佳作。

那么，就让我们一起走近法布尔先生，走近我们的昆虫朋友吧！

蒂菲粪金龟

家园守望者

蒂菲粪金龟的父亲的确不像有的父亲那样对孩子漠不关心，
它对孩子倾注了特别深厚的感情，
却忘记了自己。

——法布尔

银盘般的明月高挂夜空。草丛中，有一块黝黑的石头，上面蹲着一对乌黑的蒂菲粪金龟，它们肩并肩，就像是一对热恋中的情侣，对着明月互诉衷肠。没错，它们确实是一对情侣，今天正是它们成亲的大喜日子。

"娜娜，我真没想到你会选择我，我觉得自己挺差劲的！"雄虫山姆温柔地说。"山姆，你这样说可真让我惭愧呢。你瞧别的姑娘，新房都盖得差不多了。你瞧我，才挖了个小坑坑。"娜娜有些害羞地指了指离石块不远的地方，一个杯口大的小洞。

<ruby>山<rt>shān</rt></ruby><ruby>姆<rt>mǔ</rt></ruby><ruby>侧<rt>cè</rt></ruby><ruby>了<rt>le</rt></ruby><ruby>侧<rt>cè</rt></ruby><ruby>身<rt>shēn</rt></ruby><ruby>子<rt>zi</rt></ruby>，<ruby>轻<rt>qīng</rt></ruby><ruby>轻<rt>qīng</rt></ruby><ruby>地<rt>de</rt></ruby><ruby>说<rt>shuō</rt></ruby>："<ruby>我<rt>wǒ</rt></ruby><ruby>们<rt>men</rt></ruby><ruby>的<rt>de</rt></ruby><ruby>新<rt>xīn</rt></ruby><ruby>房<rt>fáng</rt></ruby>，<ruby>难<rt>nán</rt></ruby><ruby>道<rt>dào</rt></ruby><ruby>不<rt>bù</rt></ruby><ruby>应<rt>yīng</rt></ruby><ruby>该<rt>gāi</rt></ruby><ruby>由<rt>yóu</rt></ruby><ruby>我<rt>wǒ</rt></ruby><ruby>们<rt>men</rt></ruby><ruby>一<rt>yì</rt></ruby><ruby>起<rt>qǐ</rt></ruby><ruby>来<rt>lái</rt></ruby><ruby>完<rt>wán</rt></ruby><ruby>成<rt>chéng</rt></ruby><ruby>么<rt>me</rt></ruby>？<ruby>娜<rt>nà</rt></ruby><ruby>娜<rt>na</rt></ruby>，<ruby>相<rt>xiāng</rt></ruby><ruby>信<rt>xìn</rt></ruby><ruby>我<rt>wǒ</rt></ruby>。<ruby>我<rt>wǒ</rt></ruby><ruby>一<rt>yí</rt></ruby><ruby>定<rt>dìng</rt></ruby><ruby>会<rt>huì</rt></ruby><ruby>让<rt>ràng</rt></ruby><ruby>你<rt>nǐ</rt></ruby><ruby>和<rt>hé</rt></ruby><ruby>孩<rt>hái</rt></ruby><ruby>子<rt>zi</rt></ruby><ruby>们<rt>men</rt></ruby><ruby>快<rt>kuài</rt></ruby><ruby>快<rt>kuài</rt></ruby><ruby>乐<rt>lè</rt></ruby><ruby>乐<rt>lè</rt></ruby><ruby>地<rt>de</rt></ruby><ruby>生<rt>shēng</rt></ruby><ruby>活<rt>huó</rt></ruby>！"

dì èr tiān tiān yí liàng shān mǔ jiù duì nà na shuō ràng wǒ men yì

第二天天一亮，山姆就对娜娜说："让我们一

qǐ gàn huó ba ng nà na diǎn le diǎn tóu tā kuài sù zuān

起干活吧！""嗯！"娜娜点了点头。它快速钻

rù dòng zhōng shān mǔ yě pá dào dòng biān děng zài nà er

入洞中。山姆也爬到洞边，等在那儿。

过了一会儿，娜娜在洞里叫道："懒家伙，快下来帮忙。""来啦！"山姆快活地答应，爬下洞去。它手足齐动，把四处的土粒往身下一扒，团来团去，那些土粒魔术般变成了一个土团子。

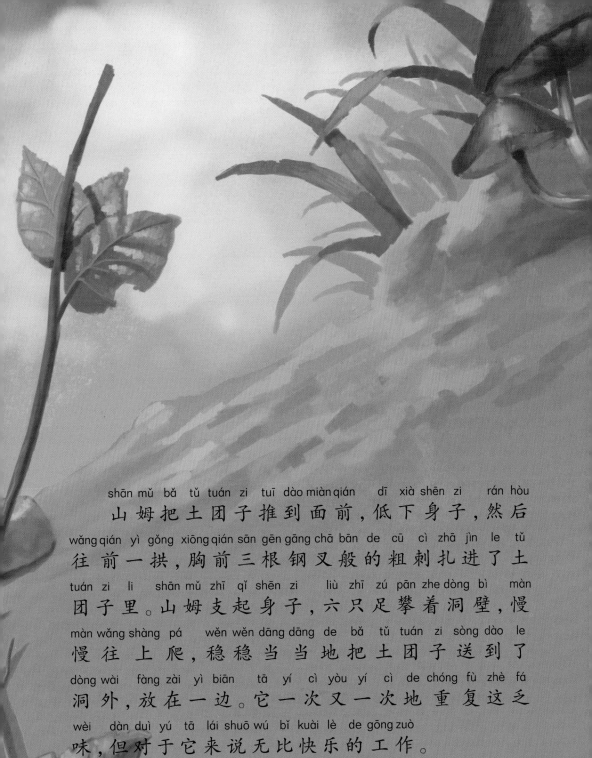

shān mǔ bǎ tǔ tuán zi tuī dào miàn qián　　dī xià shēn zi　 rán hòu
山姆把土团子推到面前，低下身子，然后

wǎng qián yì gǒng xiōng qián sān gēn gāng chā bān de cū cì zhā jìn le tǔ
往 前 一 拱，胸 前 三 根 钢 叉 般 的 粗 刺 扎 进 了 土

tuán zi li　 shān mǔ zhī qǐ shēn zi　 liù zhī zú pān zhe dòng bì　 màn
团 子 里。山 姆 支 起 身 子，六 只 足 攀 着 洞 壁，慢

màn wǎng shàng pá　 wěn wěn dāng dāng de bǎ tǔ tuán zi sòng dào le
慢 往 上 爬，稳 稳 当 当 地 把 土 团 子 送 到 了

dòng wài　 fàng zài yì biān　 tā yí cì yòu yí cì de chóng fù zhè fá
洞 外，放 在 一 边。它 一 次 又 一 次 地 重 复 这 乏

wèi　 dàn duì yú tā lái shuō wú bǐ kuài lè de gōng zuò
味，但 对 于 它 来 说 无 比 快 乐 的 工 作。

bù zhī bù jué　　tài yáng jiù yào luò shān le　　nà na cóng dòng li
不知不觉，太阳就要落山了。娜娜从洞里
pá chū lái　　kàn zhe mǎ fàng zài dòng biān de tǔ tuán zi　　cuō zhe yì
爬出来，看着码放在洞边的土团子，搓着一
shuāng qián zú　　mǎn zú de shuō　　liǎng gè rén yì qǐ gàn　　què shí bù yí
双　前足，满足地说："两个人一起干，确实不一
yàng　　　　kě bú shì ma　　shān mǔ bāng nà na fú qù jǐ lì zhān zài
样。""可不是吗！"山姆帮娜娜拂去几粒沾在
bèi shang de fú tǔ　　jīn tiān zǎo diǎn xiū xi ba　　míng tiān jì xù jiā
背上的浮土，"今天早点休息吧！明天继续加
yóu　　　　jiā yóu
油！""加油！"

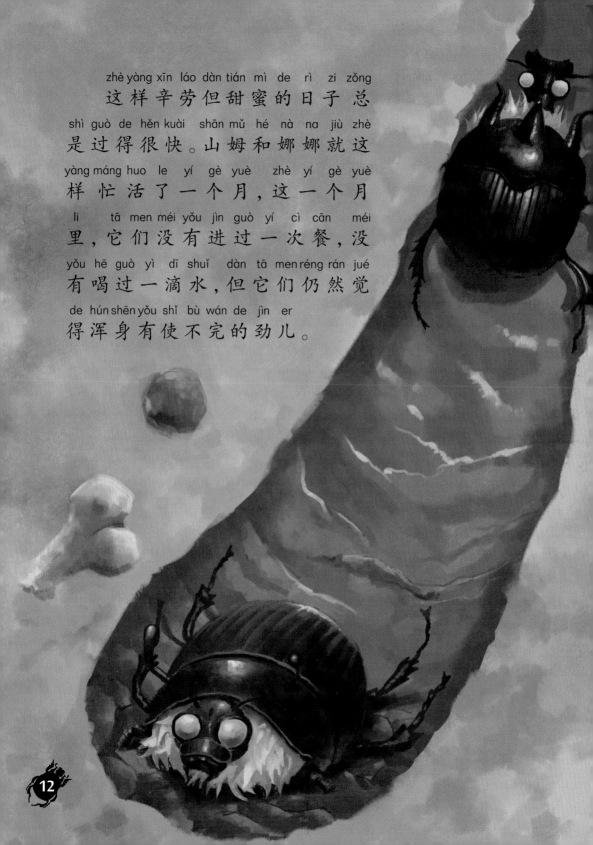

zhè yàng xīn láo dàn tián mì de rì zi zǒng
这样辛劳但甜蜜的日子总
shì guò de hěn kuài shān mǔ hé nà na jiù zhè
是过得很快。山姆和娜娜就这
yàng máng huo le yí gè yuè zhè yí gè yuè
样忙活了一个月，这一个月
li tā men méi yǒu jìn guò yí cì cān méi
里，它们没有进过一次餐，没
yǒu hē guò yì dī shuǐ dàn tā men réng rán jué
有喝过一滴水，但它们仍然觉
de hún shēn yǒu shǐ bù wán de jìn er
得浑身有使不完的劲儿。

这天早晨，山姆把一个土团推出洞来，和其他土团码放在一起。山姆抬头看了看，离新房不远有一大群山羊，羊群中不时落下一颗颗粪粒。"笨蛋山姆，你不是最喜欢羊粪球么？还傻愣着干吗？"一个粗声粗气的声音从前面的草丛中传来。

山姆定睛一看，原来是邻居黑将军，它是一只圣甲虫，力大无比，在这一带是霸王。山姆骄傲地回答："我成亲了，正忙着盖房子呢，可没时间去弄吃的。"黑将军停了下来，扭头问道："新娘是谁？""娜娜呀！"山姆说。

"娜娜？可怜的娜娜，嫁给你，要帮着你盖房子不说，一口吃的都混不到嘴。"它说完，也不等山姆回答，朝着新鲜的山羊粪冲去，嘴里还不停地吼叫："我的！都是我的！哪个不长眼的敢跟我抢，小心脑袋！"

shān mǔ kàn zhe hēi jiāng jūn yuǎn qù de bèi yǐng cháo zhe dòng li hǎn
山姆看着黑将军远去的背影，朝着洞里喊
dào nà na nǐ è bú è wǒ yì diǎn er yě bú è ne
道："娜娜，你饿不饿？""我一点儿也不饿呢！"
nà na huí dá wǒ yě bú è shān mǔ qí shí yǒu diǎn er lèi le
娜娜回答。"我也不饿！"山姆其实有点儿累了，
suí zhe dòng yuè lái yuè shēn tā wǎng shàng sòng tǔ tuán er jiù yuè lái yuè
随着洞越来越深，它往上送土团儿就越来越
fèi jìn dàn tā kě bù xiǎng ràng nà na zhī dào zhè yì diǎn
费劲，但它可不想让娜娜知道这一点。

"那抓紧干吧！我感觉已经有孩子了。"娜娜说。"什么？你是说我要当父亲了么？"山姆一听这话，一身的疲累眨眼间就不见了，它飞快地爬到洞边，把脑袋伸进去，可洞里光线很暗，什么也看不见。"瞧你这傻样！"洞里传来娜娜的嗔怪声。

17

shān mǔ jiù zhè yàng rì fù yí rì de dāng zhe bān yùn gōng dāng
山姆就这样日复一日地当着搬运工，当

tā gǎn jué yǒu xiē zhī chēng bú xià qù de shí hou nà na hū rán huān
它感觉有些支撑不下去的时候，娜娜忽然欢

kuài de pá chū lái huān jiào dào qīn ài de shān mǔ wǒ men de xīn
快地爬出来，欢叫道："亲爱的山姆，我们的新

fáng gài chéng le tài hǎo le shān mǔ huí dá
房盖成了！""太好了！"山姆回答。

18

　　　　xīn kǔ nǐ le　 shān mǔ　 jiē xià lái　 kě yào wèi hái zi men zhǔn
　"辛苦你了，山姆。接下来，可要为孩子们准
bèi gāo diǎn le　 wǒ gǎn jué zhè jǐ tiān kě néng jiù yào shēng le　　 nà
备糕点了，我感觉这几天可能就要生了。"娜
na yǒu xiē hài xiū de shuō　 zhēn shi tài hǎo le　　 shān mǔ zhēn xiǎng bǎ
娜有些害羞地说。"真是太好了！"山姆真想把
nà na bào qǐ lái　　 kě shì tā gǎn jué shēn shang yì diǎn er lì qi yě méi
娜娜抱起来，可是它感觉身上一点儿力气也没
yǒu le　 suǒ yǐ yí dòng yě méi yǒu dòng
有了，所以一动也没有动。

cóng zhè tiān qǐ　　nà na　jiù　pá dào dòng dǐ xia dài chǎn qù le
从 这 天 起，娜 娜 就 爬 到 洞 底 下 待 产 去 了，

sōu jí yáng fèn de gōng zuò dōu jiāo gěi le shān mǔ　shān mǔ nà sān gēn
搜 集 羊 粪 的 工 作 都 交 给 了 山 姆。山 姆 那 三 根

cū cì bú zài tóng yí　gè gāo dù shang xíng chéng yí gè āo cáo　tā
粗 刺 不 在 同 一 个 高 度 上，形 成 一 个 凹 槽，它

zhǐ xū yào bǎ fèn qiú gǒng jìn zhè ge āo cáo li　jiù kě yǐ dài huí lái
只 需 要 把 粪 球 拱 进 这 个 凹 槽 里，就 可 以 带 回 来

le　dàn shì zhè xiē shān yáng　bìng bù zǒng shì huì zài shān mǔ xīn fáng
了。但 是 这 些 山 羊，并 不 总 是 会 在 山 姆 新 房

fù jìn chī cǎo　yǒu shí hou　shān mǔ děi pǎo hěn yuǎn de lù cái néng shí
附 近 吃 草，有 时 候，山 姆 得 跑 很 远 的 路 才 能 拾

dào yì kē fèn qiú
到 一 颗 粪 球。

shān mǔ káng zhe yì kē fèn qiú huí dào dòng kǒu tā xiān pá le jìn
山姆扛着一颗粪球回到洞口，它先爬了进

qù rán hòu yòng qián zú bào zhù fèn qiú wǎng dòng kǒu li lā tā tuō zhe
去，然后用前足抱住粪球往洞口里拉。它拖着

fèn qiú màn màn wǎng xià pá dào le kào jìn dòng dǐ de dì fang tā tíng
粪球慢慢往下爬，到了靠近洞底的地方，它停

le yí xià bǎ fèn qiú xié zhī qǐ lái ràng liǎng tóu zhī chēng zài dòng bì
了一下，把粪球斜支起来，让两头支撑在洞壁

shang zuò chéng le yí gè lín shí lóu bǎn zhè kě shì shān mǔ jiē xià lái
上，做成了一个临时楼板，这可是山姆接下来

shí duō tiān de gōng zuò jiān
十多天的工作间。

shān mǔ chuǎn le kǒu qì　　pá chū dòng qù　　　bù jiǔ yòu yùn huí lái
山姆喘了口气，爬出洞去，不久又运回来

yì kē fèn qiú　　bǎ tā dài dào lín shí lóu bǎn shang shān mǔ bǎ cū cì zhā
一颗粪球，把它带到临时楼板上。山姆把粗刺扎

jìn fèn qiú zhōng wěn wěn de gù dìng zhù le　　rán hòu cháo xià mian hǎn dào
进粪球中，稳稳地固定住了，然后朝下面喊道：

nà na　　miàn fěn jiù yào xià lái le　　nǐ zhǔn bèi hǎo le ma
"娜娜，面粉就要下来了，你准备好了吗？"

娜娜快活地叫道："快把面粉给我，我一定
要给孩子们准备最可口的长面包。"山姆不再
说话，把粪球切成小块送下去。这些只经过粗
加工的面粉，可并不是每一块都让娜娜满意。

有时候，娜娜会惊喜地叫道："山姆，这一块真不错，孩子们肯定会喜欢的。"有时候，它又埋怨："山姆，怎么搞的，这硬邦邦的是什么呀！"山姆觉得娜娜自从做了母亲，似乎渐渐有点儿霸道，它心里只想着孩子们。但它转念一想，娜娜的孩子也是它的孩子呀，吃个什么醋呀。

24

娜娜将山姆撒落下来的面粉收集起来，进一步加工。它把身子转过来转过去，用扁平的胳膊使劲拍打面粉，渐渐地将面粉摊成了一张小饼，它用脚踩结实，接下来，在上面铺了第二张。"山姆，加油哟，我可没闲着呢！"娜娜昂起头，朝上面喊道。

　　　　lái le　　lái le　　　　shān mǔ qì chuǎn xū xū
"来了！来了！"山姆气喘吁吁

de bǎ yí gè fèn qiú tuō jìn lái　tā jué de shēn zi
地把一个粪球拖进来，它觉得身子

yuè lái yuè chén　chà diǎn er lián rén dài fèn qiú gǔn le
越来越沉，差点儿连人带粪球滚了

xià qù　　dàn tā hái shi yǎo yá chēng zhe dòng bì　màn
下去。但它还是咬牙撑着洞壁，慢

màn de tíng zài lóu bǎn shang
慢地停在楼板上。

到了第十天，娜娜脚下的长面包做成了。它欢快地唱起歌来：啦啦啦……"娜娜，你成功了么？"山姆的声音听起来十分微弱。"成功了！成功了！这么长的一条面包，够孩子们享用的了。"

27

"我再去搬点回来吧。实在用不了，放在楼板上，给你和孩子们……遮风挡雨……也好呀。"山姆感觉浑身的力气都耗尽了，说话的声音有些颤抖。娜娜终于发现山姆有些不对劲，急忙问道："山姆，你怎么了？"山姆沉默着。

"山姆！山姆！"娜娜叫喊着，它有些哽咽，似乎要哭了。

山姆深吸了一口气，缓缓说道："亲爱的娜娜，你不要哭。我累了，好想找个地方睡个大觉。我走了，你好好照顾自己和孩子们。"说完，它便费劲地往上爬，它害怕再耽搁一会儿，就再也爬不出去了。它不想死在这里，不愿让亲爱的妻子和孩子们，嗅到它死亡的气息。

"你不要走！你不是说要好好照顾我和孩子们的么？"娜娜放声大哭。山姆这会儿离洞口还有一大段距离，它觉得心头撕裂般疼痛，它不敢再开口说话，它得积攒起全部力气爬出家去。"山姆，呜呜……"娜娜听不到山姆的回答，以为它走远了，便自顾自哭了起来。

终于，山姆爬到了洞口，说道："娜娜，将来，如果孩子们问它们的父亲去了哪里，你告诉它们，它们的父亲去了一个遥远的地方，它打算在那里盖一间好房子，然后回来接你和孩子们。""山姆！"娜娜听到这话，终于明白了山姆不是真要抛弃它和孩子们，它用生命爱着它们。

山姆缓缓离开洞口，虽然现在正是初夏时节，可它仍然觉得浑身一阵阵发冷。忽然，一阵熟悉的羊粪味儿随风飘来，它循着那味儿，努力地向前爬去，也不知过了多久，它终于来到一串羊粪粒前。

山姆心里一喜，想道：也许，我还能给娜娜送点面粉回去。它颤巍巍俯下身子，打算把粪球铲进凹槽中，忽然手足一阵松软，眼前一黑，身子不由往沙土地上一趴，便一动也不能动了。

33

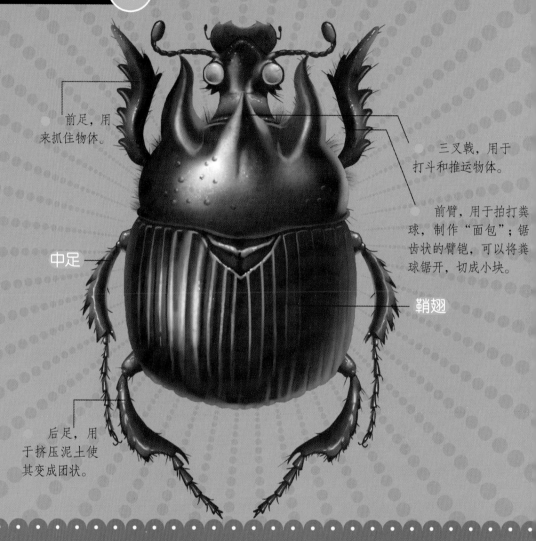

前足,用来抓住物体。

三叉戟,用于打斗和推运物体。

前臂,用于拍打粪球,制作"面包";锯齿状的臂铠,可以将粪球锯开,切成小块。

中足

鞘翅

后足,用于挤压泥土使其变成团状。

蒂菲粪金龟是一种力气很大的昆虫。寓言中的它企图洗劫诸神的住所,把连根拔起的山垒成一根柱子。这种昆虫不仅以动物的粪便为食,而且夫妻双方一起为孩子建造家园,储备粮食。它们会一起工作,分工明确,齐心协力守护家庭的幸福。

磕头虫

没骨气的跳高能手

为了躲避危险和越过障碍，不断叩头的动作，成为它们逃跑的一种形式。
如果受到威胁，它们会仰面倒在地上，
腿紧紧地贴在身体两侧，前胸将楔形的突出体弹出沟槽，
然后突然"咔"的一声，将身体弹入空中。

——法布尔

正值烈日炎炎的夏季，森林里也是一片热火朝天的景象。昆虫居民们三五成群地从森林广场散开，嘈杂地议论着。

“哇！这次跳高比赛真是精彩！跳蚤还是那么厉害！”一只粉色蝴蝶在半空中飞舞着，兴奋地对同伴们说。一只白蝴蝶也激动地大叫：“对啊！只可惜它被沫蝉打败了。”

38

"还有黑皮那个家伙，没想到它竟然拿到了第三名。"一只花斑蝴蝶接过话来。"那个胆小鬼也能有这样的本事，真是太不可思议了。"粉色蝴蝶附和道。

39

随着观众们的离开，一只磕头
虫不紧不慢地爬过广场。它穿着黑
衣，身材扁平，锯齿状的触角一晃
一晃的，那三对又短又小的胸足，
支撑着上了油一般水滑的身躯。它
就是黑皮，这届跳高比赛的季军，现在
正爬行在回家的路上。

“求求你们，放过我吧！救命！救命啊！”突然，一阵慌乱的呼救声传来。黑皮诧异地停下脚步，四处看了看，可是什么也没有发现。

这时，草丛里又传来一阵刺耳的嘲笑。"哈哈……你跑啊！继续跑啊！""老大，它落到了您手里，还能往哪儿跑呢？"那是雄蟋蟀阿力老大和它的手下们。它们平日里横行霸道，专爱欺负弱小。

hēi pí jiù bèi tā men qī fu guò hǎo jǐ cì　hēi pí měi cì fǎn
黑皮就被它们欺负过好几次。黑皮每次反

kàng zhēng zhá shí　shēn tǐ zǒng shì huì bù yóu zì zhǔ de pāi dǎ dì
抗挣扎时，身体总是会不由自主地拍打地

miàn　jiù xiàng zài kē tóu qiú ráo yí yàng　sēn lín li de jū mín men
面，就像在磕头求饶一样。森林里的居民们

dà duō qiáo bu qǐ tā　cháo xiào tā shì dǎn xiǎo guǐ　xiǎng qǐ bèi qī
大多瞧不起它，嘲笑它是胆小鬼。想起被欺

fu de jīng lì　hēi pí bù jīn dǎ le gè lěng zhàn　qīng qīng de nuó
负的经历，黑皮不禁打了个冷战，轻轻地挪

dòng shēn zi　dǎ suàn lí kāi zhè lǐ
动身子，打算离开这里。

"救命！救命！"凄厉的呼救声
再次响起，拖住了黑皮的脚步。它悄
悄地向左前方的花丛靠近，小心地
把脑袋凑过去瞧。

44

只见一只凶神恶煞的蟋蟀，将一只小蝼蛄
死死地按在地上；旁边的三个蟋蟀小弟挥舞着
前足正在起哄，时而摇晃一下细长的触须。
这只可怜的小蝼蛄，瘦小的身躯被蟋蟀强劲
的后腿紧扣住，压根儿动弹不得。

45

"呜呜呜……救我!"黑皮看着趴在地上哭喊呼救的小蝼蛄,一股强烈的正义感从胸口爆发。它这时忘了自己受欺负时的情形,猛地向蟋蟀撞过去。阿力老大顿时倒向一边。黑皮向小蝼蛄大喊:"快跑!"小蝼蛄赶紧爬进附近的草丛里。

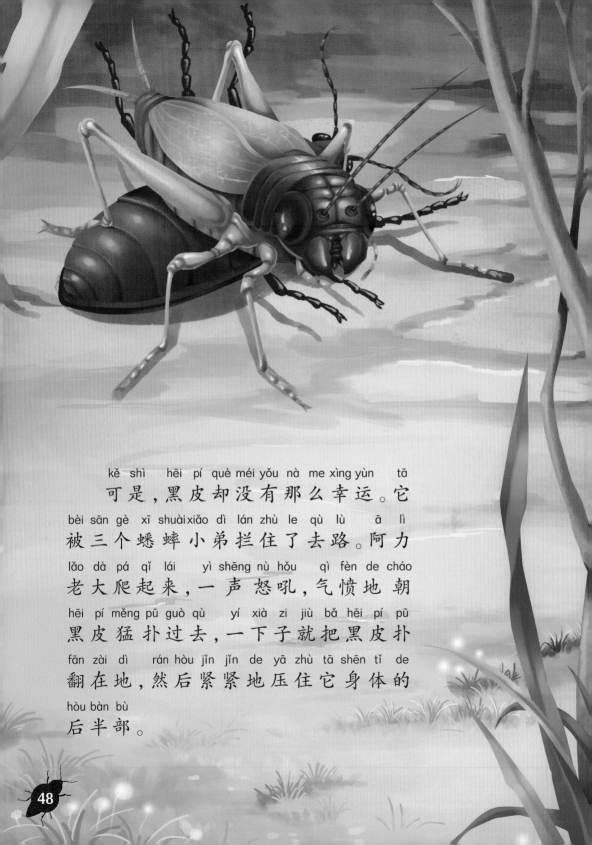

kě shì hēi pí què méi yǒu nà me xìng yùn tā
可是，黑皮却没有那么幸运。它

bèi sān gè xī shuài xiǎo dì lán zhù le qù lù ā lì
被三个蟋蟀小弟拦住了去路。阿力

lǎo dà pá qǐ lái yì shēng nù hǒu qì fèn de cháo
老大爬起来，一声怒吼，气愤地朝

hēi pí měng pū guò qù yí xià zi jiù bǎ hēi pí pū
黑皮猛扑过去，一下子就把黑皮扑

fān zài dì rán hòu jǐn jǐn de yā zhù tā shēn tǐ de
翻在地，然后紧紧地压住它身体的

hòu bàn bù
后半部。

黑皮的身体仰面朝天，前胸腹露出一个楔形的突起，中胸腹面还有一个小槽。别小看这两个东西，它们镶嵌起来，就形成了一个像合页似的机关。黑皮不断地用力挣扎，身体"磕巴磕巴"地不停敲打着地面，就像个胆小鬼在磕头求饶。

"哈哈哈……瞧！阿力老大只是按住这家伙，它就吓得不停地磕头，真没骨气。"一个蟋蟀小弟发出尖锐的嘲笑，另外两个也一脸鄙视地大笑起来。"呸！亏它长了那么大的个子，祖辈们的脸都被它丢光了。"

"哼！这家伙一碰到对手，只知磕头求饶，居然敢抢夺属于老大的第三名，实在太欠揍了。""是啊！肯定是它耍诡计，要不然，它怎么可能赢得第三名？它又不像咱们这样，天生拥有强健发达、适宜弹跳的后足。"

看着被压住翻不了身的黑皮，阿力老大大声叫嚣："哼！可恶的家伙！叫你抢走我的名次，叫你偷袭我！"接着，它又用前足使劲勒住黑皮的腹部，凶狠地威胁道："今天你若不多磕几个头，让我消了这口气，休想离开这儿。"

52

　　hēi pí pīn mìng de zhēng zhá　　bú duàn de yòng shēn tǐ
黑皮拼命地挣扎，不断地用身体
jī dǎ dì miàn　kàn qǐ lái kě lián jí le　kě shì　zhè bìng
击打地面，看起来可怜极了。可是，这并
méi yǒu ràng tā men gǎn dào tóng qíng　fǎn ér yǐn lái gèng è
没有让它们感到同情，反而引来更恶
liè de cháo fěng　xióng xī shuài xiào de gèng kuáng le
劣的嘲讽。雄蟋蟀笑得更狂了。

黑皮趁着雄蟋蟀没注意，把头尽力向后仰，拼命拱起背部，将前胸和中胸折成一个钝角，然后猛地一缩，"啪"的一声，狠狠地撞在地上，身体一下就弹了起来。可惜黑皮这次并没有成功翻身，于是，"啪啪啪"的磕头声又响了起来。

　　　　hā hā hā　　　　　tài hǎo xiào le　　kuài　　kuài duō kē
"哈哈哈……太好笑了！快！快多磕

　jǐ　gè　　　　　duǒ zài cǎo cóng zhòng de xiǎo lóu gū xīn jí rú fén
几个！"躲在草丛中的小蝼蛄心急如焚

　de kàn zhe hēi pí　xīn xiǎng　　bù xíng　　wǒ děi gǎn jǐn zhǎo
地看着黑皮，心想："不行！我得赶紧找

　bà　mā lái bāng máng
爸妈来帮忙！"

等到小蝼蛄带着父母来到草丛边上时，黑皮还在那里使劲地扭动身体，重复之前的动作。"爸爸、妈妈……"小蝼蛄正准备催促父母快过去帮忙，却看见黑皮猛地向上一顶，雄蟋蟀竟然被震得差点松开。

56

黑皮抓住机会，用力向后仰头，使头尾紧贴地面，身体就像弓一样弯起来，在身下形成了一个三角形的空区。紧接着，它猛然收缩发达的胸肌，伸直的前胸准确而有力地向中胸收拢，身体顺势弹向空中，终于挣脱了！

57

雄蟋蟀惊愕地伸着前足，一时回不过神
来，它的三个小弟也没反应过来。成功翻身的
黑皮使出全身的力气，迅速爬进草丛，转眼就
失去了踪影。小蝼蛄一家都惊呆了，直直地看着
黑皮远去的方向。

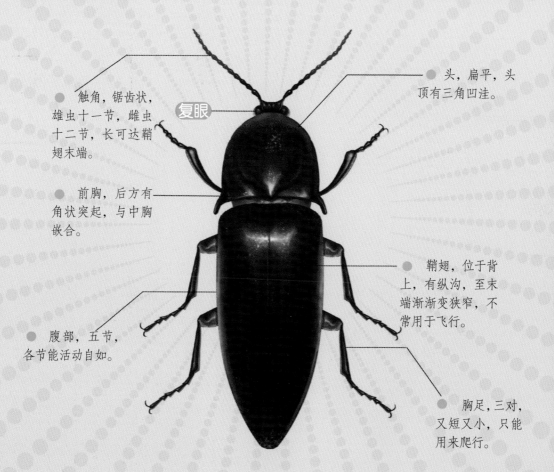

● 触角，锯齿状，雄虫十一节，雌虫十二节，长可达鞘翅末端。

复眼

● 头，扁平，头顶有三角凹洼。

● 前胸，后方有角状突起，与中胸嵌合。

● 鞘翅，位于背上，有纵沟，至末端渐渐变狭窄，不常用于飞行。

● 腹部，五节，各节能活动自如。

● 胸足，三对，又短又小，只能用来爬行。

　　磕头虫是一种会磕头的小甲虫，样子像普通的肉虫子，但身体却有着很硬的表面。它爱吃植物的种子和根、地下茎。这种昆虫逃离危险的方式十分奇特：如果按压它的身体后部，它的胸部活动就像磕头一样；如果仰面朝上，便会运用前胸与中胸的关节从而向上跳跃。

图书在版编目（CIP）数据

蒂菲粪金龟：家园守望者 / 齐遇编绘 .—武汉：长江出版社，2016.4
（法布尔昆虫记绘本）
ISBN 978-7-5492-4197-2

Ⅰ . ①蒂… Ⅱ . ①齐… Ⅲ . ①儿童文学—图画故事—中国—当代 Ⅳ . ① I287.8

中国版本图书馆 CIP 数据核字（2016）第 089298 号

dì fēi fèn jīn guī jiā yuán shǒu wàng zhě
蒂菲粪金龟：家园守望者

蒂菲粪金龟：家园守望者	齐遇/编绘

责任编辑：高　伟
装帧设计：新奇遇文化
出版发行：长江出版社
地　　址：武汉市解放大道1863号　　　　　　邮　编：430010
网　　址：http://www.cjpress.com.cn
电　　话：（027）82926557（总编室）
　　　　　（027）82926806（市场营销部）
经　　销：各地新华书店
印　　刷：湖北嘉仑文化发展有限公司
规　　格：710mm×960mm　　　　1/16　　　　4印张
版　　次：2016年4月第1版　　　　2022年4月第8次印刷
ISBN　978-7-5492-4197-2
定　　价：15.80元